Collection L'appel des mots
dirigée par Robbert Fortin

Certains poèmes de ce recueil ont été publiés dans les revues *Liberté*, *L'Inconvénient*, *Contre-jour* et *Jet d'encre*. Presque tous ont été remaniés.

L'Hexagone bénéficie du soutien de la Société de développement des entreprises culturelles du Québec (SODEC) pour son programme d'édition.

Gouvernement du Québec – Programme de crédit d'impôt pour l'édition de livres – Gestion SODEC.

Nous reconnaissons l'aide financière du gouvernement du Canada par l'entremise du Programme d'aide au développement de l'industrie de l'édition (PADIÉ) pour nos activités d'édition.

Nous remercions le Conseil des Arts du Canada de l'aide accordée à notre programme de publication.

COMMENT SERRER LA MAIN DE CE MORT-LÀ

pour Pascale [illegible]
lectrice et auditrice
spéciale,
chère

[illegible] en mars (2007)

DU MÊME AUTEUR

Barbarie, poésie, frontispice de Roland Giguère, Montréal, Estérel, 1978.

Holyoke, roman, Montréal, Les Quinze, éditeur, 1978.

Triptyque de la mort, essai, Montréal, Presses de l'Université de Montréal, 1978.

Le rendez-vous, roman, Montréal, Les Quinze, éditeur, 1980.

Histoire de l'impossible pays, récit, Montréal, Primeur, 1984.

Monsieur Itzago Plouffe, poésie, Québec, Le Beffroi, 1985.

Le dernier chant de l'avant-dernier dodo, apologues, dessins d'Anne-Marie Samson, Montréal, Le Roseau, 1986.

L'homme aux maringouins, conte, Québec, Le Beffroi, 1986.

Les Anglais, théâtre, Québec, Le Beffroi, 1987.

Homo plasticus, poésie, Québec, Le Beffroi, 1987.

Montréal, essai, Seyssel (France), Champ Vallon, 1989.

Lac noir, poésie, dessins de Jacques Brault, Québec, Le Beffroi, 1990.

Les pommes les plus hautes, poésie, Montréal, l'Hexagone, 1997.

Vous blaguez sûrement..., correspondance avec Jacques Ferron, Montréal, Lanctôt, 2000.

Pour orienter les flèches, essai, Montréal, Trait d'union, 2002.

FRANÇOIS HÉBERT

comment serrer la main de ce mort-là

l'HEXAGONE

Éditions de l'HEXAGONE
Une division du groupe Ville-Marie Littérature
1010, rue de La Gauchetière Est
Montréal, Québec H2L 2N5
Tél. : (514) 523-1182
Téléc. : (514) 282-7530
Courriel : vml@sogides.com

Maquette de la couverture : Anne-Maude Théberge
En couverture : détail d'un tableau de Giorgione

Catalogage avant publication de Bibliothèque et Archives Canada
Hébert, François, 1946-
Comment serrer la main de ce mort-là
(Collection L'appel des mots)
Poèmes.
ISBN 978-2-89006-789-9
I. Titre. II. Collection.
PS8565.E198C65 2007 C841'.54 C2006-942042-4
PS9565.E198C65 2007

DISTRIBUTEURS EXCLUSIFS :

• Pour le Québec, le Canada et les États-Unis :
LES MESSAGERIES ADP*
955, rue Amherst, Montréal, Québec H2L 3K4
Tél. : (514) 523-1182
Téléc. : (450) 674-6237
*Filiale de Sogides ltée

• Pour la Belgique et la France :
Librairie du Québec / DNM
30, rue Gay-Lussac, 75005 Paris
Tél. : 01 43 54 49 02
Téléc. : 01 43 54 39 15
Courriel : direction@librairieduquebec.fr
Site Internet : www.librairieduquebec.fr

• Pour la Suisse :
Transat SA
C.P. 3625
1211 Genève 3
Tél. : 022 342 77 40
Téléc. : 022 343 46 46
Courriel : transat-diff@slatkine.com

Dépôt légal : 1er trimestre 2007
Bibliothèque et Archives nationales du Québec, 2007
Bibliothèque nationale du Canada

ISBN 978-2-89006-789-9

Désœuvré

sorti du musée confus divisé
où irai-je

avec partout des murs désespérément lisses
mes yeux j'ai beau les agrandir les œuvres
on les attend sont-elles décrochées

ou alors les murs manquent
les cadres manquent
les directions pour la visite
les siècles
les sujets

la vie vous en met plein la vue
foisonne de tableaux de passants en passantes
de battants en bataclans de patentes
de poteaux et d'autos
d'enfants de papillons et cetera

labyrinthe sans murs un tag n'y tient
que par miracle ou poésie

=_/-±¦--\´¬ #<

Installation de Claude Gauvreau dans le ciel

un orgue grogne
depuis son corps de Paraclet patraque
tombe-t-il ou est-ce une île un nuage
fantôme ou pas est-ce un poète
s'il tombe
depuis ses cils comme une neige

plus tu es lourd plus tu t'élèves
c'est une loi du ciel que la géologie ignore

l'énergumène avec ses runes
son ciel en ruine et sa Muriel un ciel en soi
toute une installation
moderne à mort
brinquebalante inébranlable
son île au ciel avec des rames dans les nues

Les morts dans leur sommeil

dans leur nuit au moment de s'éclipser
sont-ils vraiment sortis du monde
s'ils n'en étaient pas au départ
ceux qui sont morts dans leur sommeil

ces dormeurs-là transbahutés
faisaient-ils de hauts rêves d'amours inaltérables
des escapades
ou bien les lumières s'éteignent toutes

dans la fameuse affaire éternité
nul ne se réveille
en rêve néanmoins l'humanité entière

les morts dans leur sommeil étrange
et les piteux vivants
qu'écrase leur pompeux soleil

Ostéopathie

belleu
vertè-
bre bleue

verbe *ê-*
tre au ré-
verbère

aveugle

COMMENT SERRER LA MAIN DE CE MORT-LÀ

si tu nous touches
Miron l'anéanti en vérité
avec ta main d'abîme
le fond que tu rejoins   c'est nous
les doigts rompus

Feu Nelligan

j'entends vos doigts qui craquent
devant mon feu l'automne
les soirs de vent

quand l'horizon par la fenêtre du manoir
devient un vieux rideau
qui claque

je vois aussi très bien
vos mains qui se referment dans la mort
sur les lointains

d'une neige légère cependant proche
grâce à l'abîme dans les yeux
que j'ai

Prévoir le pire

composer un poème pourquoi pas
ça met de la mort dans la vie
sauf qu'il y a les effets secondaires
le pathétique inhérent à l'affaire
la parenté qui va être attendrie
l'émission littéraire aux boniments funèbres
l'universitaire qui vous recherche
dans ses projets
toujours déjà réalisés

le ridicule aussi des vers cités isolément

comme la blanche soie dans un cercueil
un peu d'afféterie pourrait aider
à bien paraître et à rester marginal
à faire bonne figure
sourde et muette
à se figurer comment les autres te voient
penchés sur toi
pas trop en forme
un éboulement du cœur
roi déposé crispé
comme un glacier aux muscles roides
prévoir le pire c'est-à-dire
finalement le silence poli des gens
taraudant comme l'acouphène de personne

Des fois Riopelle

des fois je loup je poule
j'Ézéchiel augurant je barbe
je rue je roue je Rosa j'arrose
j'eau vive assoiffe

des fois hibou hirsute hou hou

il tu me vous c'est moi je nous couleuvre

dans le bois sale ou la savane
je chasse et vous faites quoi dans la vie
en ville et contre tous

des clous des fois des vis je trouve
des bouts de ci de ça chiffons bois verre
ou du plastique j'acrylique moi sur ça
je tousse

poitrail de caribou des fois vitrail j'éclaire
des fois je papillonne gélinotte pétarade
me pète les bretelles je femelle
je joue affronte ai l'œil

oui des fois je descends des oies
c'est pour monter au ciel sur mon fusil

je peins toutes les fois
que c'est l'été indien toute l'année durant

j'oie
j'oie
j'oie

NELLIGAN REVENANT

depuis avant-hier que c'est l'hiver
demain pareil tout blanc
comme toujours et ses flocons géants
misère c'est l'hiver encore
mon corps est blanc depuis je suis petit
Betty

salut Réjean Ducharme
salue Lulu
u uuuu uu
uuuuuu
u

qu'est-ce que j'ai
que j'ai que j'ai que j'ai
que je n'ai pas

que j'ai de la misère
l'hiver au cœur livré à l'heure
le temps fait dur
dures la température et la créature

misère noire
misère blanche

le temps que dure
                    instable
et tombe
ou se balance en son hamac de brise
jolie jolie
légèrement la neige
Norvège

neige enneigée ô rennes

beau jardin foutûment beau suspendu

à rien Gretchen ô reine à rien que du papier
c'est moi bonjour
déchiqueté
neigeant neigé blanc comme neige

bonsoir

Rimes en oï pour Godin

pour se plaindre *opopoï*
disaient les Grecs Gérald Godin disait
ayoï

ah c'est la loi 101 qu'ici j'aiguise
que les Anglos haguissent

si Godin dort
comme une bûche dans la mort
d'un geste sec
han
je le retourne et rembarque dans la vie
drave éphémère
d'un bon coup de cantouque
(mot de Godin)

du côté de Sherbrooke
on prononce *canntoï*

L'aveugle

a de longs doigts
il est une araignée
qui parle

j'entre dans l'âme
en quelque sorte m'entrebâille
mais ne vois rien

sinon la nuit

Comment je vois les choses

voilà j'arrive
j'avoue c'est simple
j'ai peur
que ce que j'aime
ne soit pas là
ou bien s'en aille

Giacometti

la tête à Diego
mon frère
est plate des deux bords
tel un aileron de requin voulant sortir
de l’eau filer dans l’air
on manque d’air dans le bronze
c’est comme ailleurs

Patinir

le paysage tient à un coup d'œil
s'agence ainsi qu'une onde c'est
en coup de vent le monde on voit
une montagne c'est

un M

âpre chemin
reflété dans un lac aveugle

O

d'émeraude et voici
la nuit laquelle
a doté l'humanité de luminescentes
paupières

(   )

Détail

chemineminenminent
menues chenues chenilles
chhhh…

MESURE

passent les voitures dans les rues de la ville
les jours sont courts les corbillards sont longs
je n'ai pas peur Apollinaire
pas trop

Edward Hopper

lents lancinants vaisseaux fantômes
voguent les Thunderbird silencieusement
décourageantes
dans les lueurs de chrome intériorisées
dans les rues devenues
neurones

les gens dans mes tableaux ne les voient pas
par la fenêtre
il n'y a rien dehors qu'il n'y ait dedans

ils attendent Godot ma mort la nuit que sais-je
calés dans leur fauteuil
le Titanic du pauvre

Lot du poète vieux

Ronsard Wang Wei ou Alphonse Piché
peu importe lequel
il pleure sur Hélène les roses séchées
rosée risible
il éternue dans la poussière d'aoristes
très-obsolètes
d'archaïsmes involontaires
trébuche sur les nouveautés béquilles
vieux pissenlit jusqu'aux racines
creuse les lieux communs comme des catacombes
se prépose à l'accueil

Avec Alain Grandbois

avec tout mon amour
avec du vin et des voitures
on se croirait en vie

avec ton corps qui se dérobe
avec ta robe dans les mains
dans un poème
en vain

avec les jours perdus
avec leurs journalistes tristes
avec tout ça

vraiment on se croirait dans un poème
d'Alain Grandbois

avec tout ça
tout ça

Pochade

parce que l'horizon s'appuie sur l'œil
le fuit en même temps
le couchant trompe l'œil
et l'éparpille

pour le motif que le peintre est
sur le motif qu'il est lui-même

en d'imprenables tourbillons chamades
fumerolles chiffons langueurs traînées
inachevées

dans la distance mauve et lente

du cœur

Bosch

le ciel est illusion d'optique
les terres sont mortes
moi je vais bien

les mers montent jusqu'à la lune
ivres promesses
je vais plus loin

les villes virent folles
systématiquement
je note

les gens raisonnent
travaillent dorment
je vais très bien je peins

Le cœur est un avion

dedans
les paysages défilent
parmi les émotions
collines
l'eau des lacs

des fois bien sûr
ça sent le renfermé

on voit un tout petit camion
rouler immobile
plus bas que des oiseaux
sur un ruban
traverser des cultures

houblon soya moutarde

dehors il n'y a rien

ni plus haut ni plus bas
ni plus près ni plus loin

Curriculum abrégé de mon voisin

c'est l'hiver blanc fadasse
un ciel vieux matelas de ruelle
avenue Rockland
presque à portée de main il y a des nuages
longtemps
mottons minous moutons poussière d'eau et glas

beau temps mauvais temps la mort s'en fout

Peter Zwack est décédé hier né à Brooklyn

météorologiste

on est toujours un peu mort dans la vie
on a toujours vingt ans quand on est mort

système stationnaire

J'EMPORTERAI EN PARADIS

un Borduas aux icebergs noirs
quelque vaisseau d'Edmund Alleyn fantôme
pour me souvenir de mes jours
sans amour mais
de mes amours aussi

un air de Joe Dassin

pour un peu de lumière
deux trois couleurs de Saint-Denys
quelque paronomase à lui
alléluia

voyagerai léger
voilà

VUE SUR LE PARKING D'IKEA

chauffées l'hiver fraîches l'été n'empêche
les églises sont vides
Dieu était grand grand grand
ça tourne au bide

boulevard Cavendish à la sortie de la 40
le parking d'Ikea très vaste également
poche vide ou sacoche de pauvre
aux idées noires

le Saint-Esprit souffle le chaud le froid
sur les voitures abandonnées
une heure ou deux

le Christ dans les craquelures de l'asphalte
est devenu petit petit a pris son trou
et prêche et fait confiance aux fourmis aux cloportes

Sonnet

dans votre grand soleil sombre la voix s'éraille
l'amour frappe des murs ce sont les jours
durs cauchemars c'est clair où la vue manque
longs jours clinquants que les chats fuient poubelles

que ceux-ci frôlent cependant la nuit venue
dont les prunelles Baudelaire vous reflètent
vous qui dormez profondément dans votre rêve
d'anges vous éloignant de nous les vivants ternes

qui somnolons de jour en murmurant des choses
sataniques ce qui n'empêche pas vos chats
d'avoir accès dans votre rêve à votre rêve

avec le poil qui rebrousse et qui se hérisse
frotté aux sofas de satin des beaux nuages
ou bien c'est rien que l'électricité statique

Musique de chambre

je lui murmoure à mon amour armure
cruellement je lui mourmure que
l'amour frappe des murs toujours
ce sont les jours ces murs

caresse-moi dedans ces murs
mords-moi que je ne meure aux risques

cloue-moi aux jours

Miron localisé

dans un vent de lumière où il n'y a   âme qui vive
pas de ficelles mais les aurores vocales
tiennent l'homme grimpé dans les rideaux du soir

ah
ah

Beau bruit d'enfer

sans fin le pic débile pique les barreaux
de l'échelle d'aluminium
ça sonne creux à mort
résonne
résonne

cet oiseau-là
l'homme est pareil c'est Baudelaire un coloré
qui met le feu aux tempes

les larves sont ailleurs dans le temple
dans le pourri de la forêt des symboles
se trémoussent du derrière
se tortillent d'aise

Les murs quels murs

les murs du son
dans nos murmures
fenêtres

les murs de la raison
humaine trop humaine
ses tropes

les temps sont durs
l'Antiquité les mûres
la minuterie du micro-ondes

puis les lémures

Cré Salvador

tombant ici et là
des litchis des œufs des grêlons mous
têtards gélatineux fêtards aveugles
soudain des yeux nous apparaissent

qu'est-ce à dire
si l'on voit derrière ça
l'exorbitant Dalí

manne
inattendue blasphématoire
cruelle et superfétatoire
réelle ainsi qu'en songe
de frayère aérienne
catastrophique

on marche sur des yeux
vous me ramasserez tout ça

L'INSÉPARABLE

pour la mère de Mathilde

je puis mourir beauté t'ayant connue
dans tous les sens du corps
et de l'horloge aux aiguilles tombées
en amour comme le Saint-Esprit dans un oiseau
dans un mélèze

Mallarmé

crevé
le bel abcès de la réalité
laquelle
de l'art aussi lorsque le chat
quel chat
sevré
de silence absolu
sort de la gorge
mi-aule
en abracadabras
vous dites
la plaie au cou du sang
parole
souvenir d'avenir trictrac
tracas
je dis tel chat
aimant le tchatchatcha

Abeilles

pour Gisèle Verreault et Paul-Marie Lapointe

l'été au grand soleil
zzz
z
z
z
z
z
les fleurs sur le balcon l'odeur
zzz z
zz
zz
le miellat des cochenilles
Zz z
Zzzz
z
confitures dans mon assiette
zzz
z Z
zz z
aussi ton parfum mon amour
z z z
z z z z z

x

C'est comme rien

faste le geste avec Frans Hals est leste
flirte avec la surface
l'effleure preste passe en coup de vent
dans un coup de pinceau rafale
il étincelle
travaille l'air et l'eau
écume

Les amoureux

touchants ils sont touchants
ils ont pris du mahi-mahi
les doigts entrelacés
mangé mangé la bouche dans la bouche
ils ont croqué craqué
et bu et bu
et les yeux dans les yeux
ils ont fondu
fondu

Mai 68

révolu rêvé révolutionnaire

ohé tourne la page
Lucy in the sky with
Janis Joplin
rrrrrrr

ô mort ô Tourgueniev ô première amour
Orphée ô Ringo Starr
I wanna hold your hand

on marchait sur la Lune
et sur ta face
l'acné laissait des traces

tu as bu tous les livres
Mallarmé Malcolm Lowry ô Tryphon Tournesol
lu les appellations
de tous les bordeaux de la SAQ

l'autobiodégradable Rimbaud
Heidegger guère Artaud son roudoudou
Ma vie de Jung n'importe quoi

your ha ha haaaand

C'est l'horizon

quand devant vous les dieux
pardon les lieux
au fur et à mesure que vous avancez
à reculons vous ouvrent
leurs bras profonds

les années sont dernières toutes
c'est l'horizon

les lignes de la main chemin sans prise
sur rien

fin fond des lieux

Francis Bacon en 1971

regardez bien les yeux sont morts qui vous regardent
morose l'homme
rose et tordue comme une vieille gomme à mâcher
la bouche saigne
il se la mange

dans l'ombre une joue manque
on comprendra que l'autre ait des rougeurs

Beckett pareil il en arrache

l'autoportrait est réussi s'il est raté
comme on fait des barbots dans son cahier
quand la maîtresse est belle

L'une

là
l'élégante
l'épinette la blanche
ses branches
se soulèvent et se balancent
il faut le faire elle a
le geste exactement de la passante
tombant dans l'œil furtif
de Baudelaire il vente
l'épinette fait des courbettes
danse presque mais sans bouger
au point
que c'est à moi d'aller la prendre dans mes bras

Toujours jamais

je suis derrière toi
sur la photo de groupe où tu souris
toujours

c'est fort une photo ça va chercher loin
les gens un paysage
presque l'éternité

sauf que ma main posée sur ton épaule
pendouille
ne bouge

jamais ne descend sur ton sein

Arboretum

poème l'homme Hector de Saint-Denys Garneau
voulait qu'une futaie fût son pinceau
comme un lac a des cils autour de l'eau

voulait des saules
qui pleureraient sa mort

ou dans un champ fin seul un orme
pour la faction dans le houblon ou l'orge

voulait encore des pins pour la fraîcheur de l'ombre
avec du vent pour apaiser le souffle
au cœur du pauvre

contre le feu tout contre

Kiss me Narcisse

l'eau larme
de son amour à son amour
l'alarme

ni verge ni vertèbres
ni verte verve

À toi beauté

comme on dirait
à moi
c'est-à-dire au secours
j'ai mis ton nom
tu vois
en haut de ce poème

il y en a
qui ont un nom
tout aussi bien ce nom
les a

et moi je n'ai que moi hélas hors du poème
et il n'y a que toi dans ce poème à toi

donné perdu
comme en abyme suis
l'anonyme en amour

toi tu es en beauté tous les matins
que le bon Dieu amène
ma belle ébouriffée

chanceux le passereau n’a pas besoin
de passerelle quand il chante
tout simplement il vole
à toi

wwwwwww

On déchante

avec deux cartes de souhaits
on est moins seul un peu
qu'une dernière bière ou le soleil l'hiver
même l'été surtout l'été le soleil il a soif
on le comprend

sur l'une
des pots de fleurs jaunes sans nom
avec des gants posés sur un tréteau
un sécateur ouvert
comme une grande gueule
de sénateur

petite fille blonde sur l'autre
aux joues très claires
décorant un sapin d'une étoile dorée
dans un salon sans murs puisque
derrière c'est dehors
on est le soir en ville il y a des lumières
vingt-sept t'en comptes
t'as rien de mieux à faire

les fleurs te viennent du camelot du *Devoir*
t'as son adresse il aura son pourboire
merci Adu qui habite Pincourt
où c'est Dieu sait

l'autre carte est de Domino's Pizza
avec un rabais sur la prochaine commande
l'offre prend fin le jour de l'An
avec l'année évidemment dont l'emballage
taché de graisse ira au recyclage
ira au diable quant à toi
ira à la semaine des quatre jeudis

la bonne année en somme on te souhaite
pour rompre comme du vieux pain
all dressed
l'hostie de solitude

Que voulez-vous que je vous dise

amours et bruits du siècle dans les siècles
les bons moments
soleil clément sommeil indolent
ça passe

ainsi qu'un lieu commun dans la conversation
sur le temps qu'il fera
demain

c'est de même
et puis après

Maintenant loin

lorsqu'en personne
le temps était à l'heure
de la petite enfance
prestement se levait dans la classe et disait
présent
sans faire de chichis
avec oubli ou échéance
sans incident coïncidait avec soi-même
sans incidence sur les autres temps
sans insistance indue
remords ni mort aux trousses
présent j'étais

Le temps lorsqu'on y pense

lorsque lorsque quand ça au juste

on en perd son latin même Augustin
donnait sa langue au chat peut-être un abyssin
dormant sur la terrasse au soleil de l'époque

maudits Romains nous sommes à Carthage
détruite reconstruite ensuite il y aurait
les Vandales les Arabes
la France catholique
l'Amérique ses croisades
Reebok Nike le rock le rap

me disais-je en déambulant
avenue Bourguiba
à Sidi Bou-Saïd sous les eucalyptus
éléphantesques

il y a deux trois ans
dans la lumière des bougainvillées
fleurs papillons

de même en ce moment
en mémoire d'Hannibal et des amis Senay

on n'en voit pas la fin

Serment du cœur

cœurs sans cœur
les jours s'en vont au diable

clochards clochant
clopin-clopant

mon père un jour de mai
descendu dans sa cendre

demain l'immense à l'horizon
finit dans le rétroviseur et rapetisse

les p'tits bateaux s'en vont sur l'eau
couler dans l'aube

comme être loin de toi m'aspire
comme idée noire feuille morte

beauté comme je t'aime
quand même

A

come on dégrise ou ben décrisse pour l'amour
qu'a te disait
Desbiens
Patrice
dans un alexandrin gagné au Super 7

fais donc pas ta fancy
Nancy

a t'espérait mort pour le vrai
tu l'étais pas rien qu'à peu près
ça tombait plutôt bien

monkey manqué en s'il vous plaît

a t'a floché
comme un cadavre de canard

mort dans le fort
au plus fort de la mort
dans la désâme
welcome
scié

remercié l'Ontarien
de rien

L'OMBRE VOYANTE

si vous décrochez le tableau du mur
alors la surface bascule
comme on tombait du monde dans le vide
au Moyen Âge
au temps des fresques d'Italie
au temps des frasques de Villon
où sont allées les neiges folles
les ciels du temps les vierges mortes
les criminels les processions les cierges
les professions la foi les trahisons
les très riches heures

voyez le clou au mur
tout nu fin seul
planté dans l'œil du temps
aveugle autant que veuf
ou plâtre indifférent
à la disparition d'un être de l'amour
des choses
de la peinture avec ses signes
son braille

voyez au mur la trace encore
le carré blanc l'ombre voyante

Rembrandt et moi

certains matins je me regarde dans la glace
et je ne me vois plus mais lui
distinctement
pantois m'observe dévisage même

sait-il en quelle année Rembrandt
nous sommes
vous êtes

donc l'homme m'apparaît
c'est rouge chaud et ça m'épie
vous fixe obstinément pour mieux se voir

s'est-il jamais trouvé pour s'être tant cherché
si souvent peint analysé
cherchait-il sa Saskia

me rase avale une bouchée
commence ma journée sors prendre le journal
les yeux chassieux

Rembrandt rentre chez lui
en maugréant
je l'entends dans le noir

moi monsieur j'ai connu Spinoza vous saurez

L'ESPERLUETTE

&

on dirait un danseur
faisant une figure difficile
croisant les jambes

pour lui on croisera les doigts
pour qu'il retombe sur ses pieds
ou bien pour qu'il demeure là

en l'air

ou bien qu'une autre

&

vienne l'aider

&
&

voire l'aimer

& &

Amour tu danses

un fleuve est ma bouée
dans tes effluves

l'océan là
balance

dans une tasse
et je suis l'anse

ta houle calme

JEAN-PAUL LEMIEUX

la Terre plate pâle palette
avec le trou dedans pour la marmotte
et pour le coup de pouce à l'œil aveugle blanc
devant l'hiver devant les choses
d'avant la création comme il la voit
venir

La mort d'Hubert Aquin par lui-même

pan

bonjour les étoiles couventines neigez
libérez-moi prisonnières

l'auriez pas vu passer des fois
mon œil de verre
filant à des années-lumière dans le vide
interstellaire

années ô mes aïeux
chandelles ô jeunes filles

nubiles comme dans un tableau de Balthus

*   *
  *   *

               *

                              *

Moire

moi je ne retiens rien
pas plus qu'une tache d'essence
sur l'eau n'est l'eau
ainsi le soir oublie

Portrait de Dante aigri

à toi médiatrice ô toi ma Béatrice

je pensais ça j'écrivais ça je voulais ça
maudite poésie

tu as beau lui écrire un beau poème
des clous

le texte ne tient pas sans elle et elle
ne tient pas plus que ça
à toi

aigri pas rien qu'un peu
tu parles

Un aspect de la théorie d'Einstein

en gros sa théorie veut que la Terre
soit un gros mélanome
sur aucun corps

moi je veux quoi

Tout un monde d'amour

le soleil effroyable dragon
vous crache en pleine face à petit feu
vous lèche de sa lave lentement
vous tue de ses rayons

heureusement la lune
a des lagons elle a la brume
la brunante la rosée
l'écume le crachin
ses nymphes

me voyez-vous venir

mille et une fois

jours
nuits

La poésie est une honte

celle des mots d'avoir à rappliquer
si tard devant les gens les choses
avec des thèmes surfaits
des j'aime sans vie
des lignes qui ne vont pas jusqu'au bout
de nos lignes de vie
nos figures défaites
contrites
d'avoir à offrir à la vie comme à un mort
des chrysanthèmes
des métaphores qui embaument
des oraisons fenêtres
mais ouvertes sur quoi

Dans le miroir de Léonard

Freud est là
se perd presque dans un de mes tableaux
prend peur je suis un aigle

Dan Brown m'a chipé un couteau
fou hein

Hébert des fois te prendrais-tu pour moi

Giorgione

la bouche est noire la dent rare
le cheveu gris le nez patate

tu pleures
l'eau reste là dans l'œil
miroite

tu nous montres que tu nous montres l'heure

tu ne rajeunis pas avec le temps
ne vieillis pas non plus

c'est fait

la peinture ne coule pas
comme le fard le sang les larmes
les rivières
les navires

ça tient

il n'y a rien comme les larmes retenues
l'art véritable et l'âge vénérable
dans la douleur
contre elle

ça lie

AUTRES TITRES PARUS DANS LA COLLECTION

José Acquelin	*Chien d'azur*
José Acquelin	*Le piéton immobile*
José Acquelin	*Tout va rien*
Anne-Marie Alonzo	*Écoute, Sultane*
Anne-Marie Alonzo	*Le livre des ruptures*
Martine Audet	*Les manivelles*
Martine Audet	*Les mélancolies*
Martine Audet	*Les tables*
Salah El Khalfa Beddiari	*Chant d'amour pour l'été*
Salah El Khalfa Beddiari	*La mémoire du soleil*
Tahar Bekri	*Les songes impatients*
Marcel Bélanger	*D'où surgi*
Marcel Bélanger	*L'espace de la disparition*
Claudine Bertrand	*Jardin des vertiges*
France Boisvert	*Massawippi*
Denise Boucher	*Paris polaroïd*
Jacques Brault et Robert Melançon	*Au petit matin*
André Brochu	*Dans les chances de l'air*
André Brochu	*Delà*
Nicole Brossard	*Amantes* suivi de *Le sens apparent* et de *Sous la langue*
Nicole Brossard	*Langues obscures*
Paul Chamberland	*Dans la proximité des choses*
Jean Charlebois	*Coeurps*
Jean Charlebois	*De moins en moins l'amour de plus en plus*
Cécile Cloutier	*Ostraka*
Marie-Claire Corbeil	*Tara dépouillée*
Louise Cotnoir	*Des nuits qui créent le déluge*

Isabelle Courteau	*L'inaliénable*
Isabelle Courteau	*Mouvances* suivi de *Pour une chanson de mai*
Isabelle Courteau	*Ton silence*
Gilles Cyr	*Andromède attendra*
Gilles Cyr	*Erica je brise*
Gilles Cyr	*Fruits et frontières*
Gilles Cyr	*Pourquoi ça gondole*
Gilles Cyr	*Songe que je bouge*
Louise Desjardins	*La 2e avenue* précédé de *Petite sensation, La minutie de l'araignée, Le marché de l'amour*
Pierre DesRuisseaux	*Graffites ou le rasoir d'Occam*
Pierre DesRuisseaux	*Journal du dedans*
Pierre DesRuisseaux	*Lisières*
Pierre DesRuisseaux	*Monème*
Pierre DesRuisseaux	*Personne du plus grand nombre*
Pierre DesRuisseaux	*Storyboard*
Thierry Dimanche	*À ceux qui sont dans la tribulation*
Thierry Dimanche	*De l'absinthe au thé vert*
Guy Ducharme	*Chemins vacants*
Guy Ducharme	*Rumeurs et saillies*
François Dumont	*Eau dure*
Fernand Durepos	*Les abattoirs de la grâce*
Fernand Durepos	*Mourir m'arrive*
Violaine Forest	*Le manteau de mohair*
Robbert Fortin	*L'aube aux balles vertes*
Robbert Fortin	*Les dés de chagrin*
Robbert Fortin	*La lenteur, l'éclair*
Robbert Fortin	*Les nouveaux poètes d'Amérique* suivi de *Canons*
Dominic Gagné	*Ce beau désordre de l'être*
Dominic Gagné	*L'intimité du désastre*
Gérald Gaudet	*Il y a des royaumes*

Gérald Gaudet	*Lignes de nuit*
Guy Gervais	*Verbe silence*
Roland Giguère	*Cœur par cœur*
Roland Giguère	*Illuminures*
Roland Giguère	*Temps et lieux*
Gérald Godin	*Les botterlots*
Gérald Godin	*Poèmes de route*
Yves Gosselin	*Fondement des fleurs et de la nuit*
François Hébert	*Les pommes les plus hautes*
Gilles Hénault	*À l'écoute de l'écoumène*
Suzanne Jacob	*Les écrits de l'eau* suivi de *Les sept fenêtres*
Emmanuel Kraxi	*Cela seul*
Michaël La Chance	*Leçons d'orage*
Patricia Lamontagne	*Rush papier ciseau*
Gilbert Langevin	*Le cercle ouvert* suivi de *Hors les murs, Chemin fragile, L'eau souterraine*
Gilbert Langevin	*Le dernier nom de la terre*
Gilbert Langevin et Jean Hallal	*Les vulnérables*
René Lapierre	*Effacement*
René Lapierre	*Une encre sépia*
Paul-Marie Lapointe	*Espèces fragiles*
Paul-Marie Lapointe	*Le sacre*
Rachel Leclerc	*Rabatteurs d'étoiles*
Luc Lecompte	*Ces étirements du regard*
Luc Lecompte	*Les géographies de l'illusionniste*
Luc Lecompte	*La tenture nuptiale*
Raymond-Marie Léger	*L'autre versant de l'aube*
Wilfrid Lemoine	*Passage à l'aube*
Elias Letelier-Ruz	*Histoire de la nuit*
Elias Letelier-Ruz	*Silence*
Paul Chanel Malenfant	*Le verbe être*
Gaston Miron	*L'homme rapaillé*

Gaston Miron	*Poèmes épars*
Pierre Morency	*Effets personnels* suivi de *Douze jours dans une nuit*
Marcel Olscamp	*Les grands dimanches*
Pierre Ouellet	*Fonds* suivi de *Faix*
Pierre Ouellet	*Sommes*
Fernand Ouellette	*Au delà du passage* suivi de *En lisant l'automne*
Fernand Ouellette	*L'Inoubliable I* et *II*
Louis-Frédéric Pagé	*Ce désert de sel entre les doigts*
Danny Plourde	*Vers quelque (sommes nombreux à être seul)*
Yves Préfontaine	*Être – Aimer – Tuer*
Jacques Rancourt	*Les choses sensibles*
Julie Roy	*Le vol des esprits*
Jean Royer	*Le chemin brûlé*
Jean Royer	*Depuis l'amour*
Pierre-Yves Soucy	*L'écart traversé*
France Théoret	*Étrangeté, l'étreinte*
Serge Patrice Thibodeau	*Dans la cité* suivi de *Pacífica*
Serge Patrice Thibodeau	*Le quatuor de l'errance* suivi de *La traversée du désert*
Martin-Pierre Tremblay	*Où que vous soyez*
Tony Tremblay	*Des receleurs*
Tony Tremblay	*Rock land*
Tony Tremblay	*Rue Pétrole-Océan*
Michel Trépanier	*Mourir dedans la bouche*
Pierre Trottier	*La chevelure de Bérénice*
Suzy Turcotte	*De l'envers du corps*
Michel van Schendel	*Bitumes*
Michel van Schendel	*Choses nues passage*
Michel van Schendel	*Extrême livre des voyages*
Michel van Schendel	*L'impression du souci ou l'étendue de la parole*

Michel van Schendel	*Mille pas dans le jardin font aussi le tour du monde*
Michel van Schendel	*Quand demeure*
Louise Warren	*Le lièvre de mars*
Louise Warren	*La lumière, l'arbre, le trait*
Louise Warren	*Noyée quelques secondes*
Louise Warren	*La pratique du bleu*
Louise Warren	*Soleil comme un oracle*
Louise Warren	*Suite pour une robe*
Louise Warren	*Une pierre sur une pierre*
Paul Zumthor	*Fin en soi*
Paul Zumthor	*Point de fuite*

Cet ouvrage composé en New Baskerville corps 11
a été achevé d'imprimer
le onze janvier deux mille sept
sur les presses de Quebecor World
à Saint-Romuald
pour le compte des
Éditions de l'Hexagone.

Imprimé au Québec (Canada)